Des mêmes auteurs :

- Comptines *pour délier les langues à nœuds*
- Comptines *pour ne pas bredouiller*
- Comptines *pour garder la cadence*
- Comptines *pour ne pas zozoter*
- Comptines *pour que les consonnes sonnent*
- Comptines *pour que les voyelles s'emmêlent*
- Comptines *pour ne pas chuinter*
- Comptines *pour nasiller comme un canard*
- Comptines *pour jongler avec les rimes*

Des jeux de poète pour savourer joyeusement toute la finesse de notre langue.

De Christian Merveille et Gabriel Lefebvre :

- Comptines *au fil des saisons*
- Comptines *au fil des jours*

Pour fêter l'été ou l'automne, pour chanter du saut du lit jusqu'à la nuit, et faire rimer poésie avec fantaisie.

http/www.casterman.com

ISBN 2-203-18268-7

comptines pour jouer avec les mots

texte de Pierre Coran
illustrations de Gabriel Lefebvre

QUE LIT LE BROCOLI ?

La sardine dîne,
La semoule moule,
La rhubarbe barbe,
L'écrevisse visse.
Le céleri rit.

Mais que lit
Le brocoli ?

La pistache tache,
La carotte rote,
Pamplemousse mousse,
Caracole colle
Et la morue rue.

Mais que lit
Le brocoli ?

C'est le mystère
Des frigidaires.

Un serpent pygmée
Vola un lapin.

Il cacha le la
Sur la véranda.

Il jeta le p
Dans la cheminée.

À la fin des fins,
Il garda le in.

Depuis le serpent
Est un serpentin.

CHAT DE CHÂTEAU

Un chat, tôt,
Sort
Du château
Fort
Et s'en va
Droit
Vers l'étable.

Là, le chat
Boit aux seaux
Du lait frais
Trait très tôt.

Quand il est
Rond de lait,
Rondelet
De lait chaud,

Le chat regagne le château.

P A R A

Para
Parapluie.

Para
Paravent.

Para
Parasol.

Para
Parabole.

Para
Parallèle,

Aile,
Aile,
Aile…

Zut et flûte !
Où ai-je mis mon parachute ?

Au marché aux puces,
J'ai vu deux aras :

Un ara qui rit,
Un qui ne rit pas.

Au marché aux puces,
J'ai vu deux tambours :

Un tambour magique,
Un tambour major.

Et en fouinant bien
Au marché aux puces,

J'ai vu une puce,
Une seule puce :

Celle de mon chien.

MINITEL

Un zèbre sans zébrure
Est-il encore un zèbre ?

Un guerrier sans armure
Est-il un chevalier ?

Et que devient, au reste,
Un citron sans son zeste,

Chapelier sans chapeau,
Chamelier sans chameau,

Haricot sans sa cosse,
Un zébu sans sa bosse ?

Si tu veux les réponses,
Tape C.Tout.11.11.

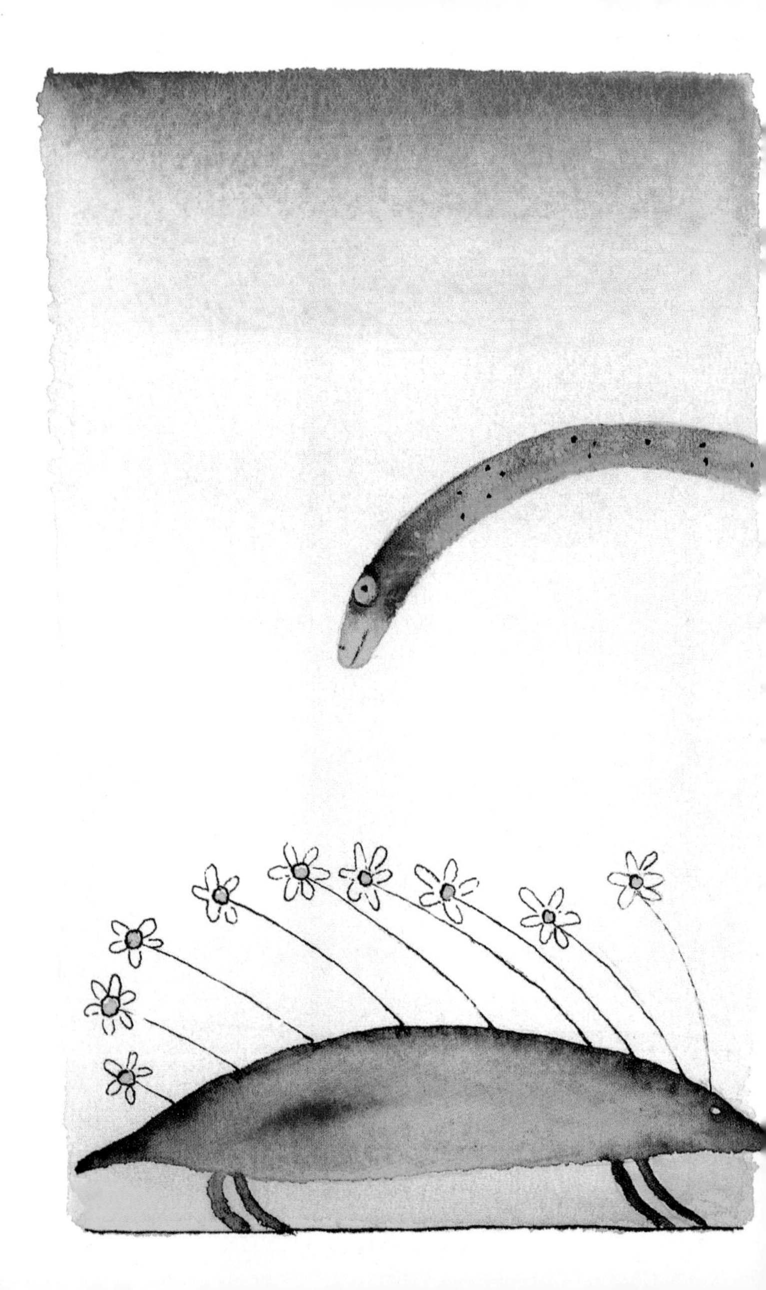

LE PYTHON QUI TOND

Un python tond.
Il tond en douce,

Tond la pelouse
D'un hérisson.

Il tond, il tond,
Tond le python.

Quand le python
Eut tout tondu,

Eut tout tondu
Le hérisson,

Le hérisson
Sur son dos nu,

Sur son dos nu
Comme dunette,

Colla dessus
Des pâquerettes.

P O I S C H I C H E S

Dix pois chiches
Se nichent,

Se nichent
Dans une corniche.

Les pois chiches
Grandissent,

Grandissent
Et si bien s'emmêlent

Que sur la façade
Et la palissade

Ruisselle, ruisselle
Un tire-ficelles.

S I

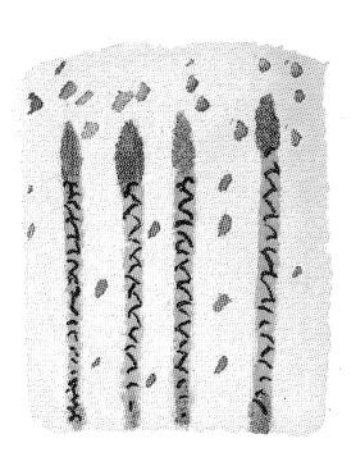

Si les asperges s'aspergeaient
Et si les seiches se séchaient,

Tu les mangerais ?

Si la salade s'alitait
Et si la morue se marrait,

Tu les mangerais ?

Si les vol-au-vent s'envolaient
Et si les gigots gigotaient,

Tu les mangerais ?

Si la dorade se dorait,
Alors, moi,

Je la mangerais.

L E P O R C - É P I C

Le porc-épic
N'est pas un porc.

— C'est d'accord !

Serait-il un hérisson ?

— Ah, ça non !

Alors quoi ?

— Le porc-épic est porc-épic
Comme le chat est chat
Et le mouton mouton.
En voilà des questions !

T A B L E

Imprimé en Belgique par Casterman imprimerie s.a., Tournai.
Dépôt légal février 2001 ; D2001/0053/38
Déposé au ministère de la Justice, Paris
(loi n°49.956 du 16 juillet1949 sur les publications destinées à la jeunesse)